KALASSERIEN:

Cohen/Landström: *Gustav och snåla glasstanten*
Donaldson/Scheffler: *Gruffalon*
Donaldson/Scheffler: *Herr Pinnemans äventyr*
Donaldson/Scheffler: *Lilla Spigg*
Donaldson/Scheffler: *Lill-Gruffalon*
Donaldson/Scheffler: *Var är mamma?*
Forslind: *Lilla H hälsar på*
Halling/Eriksson: *Det var tur!/Det var synd!*
Jansson: *Mumintrollet fyller år*
Jansson: *Mumintrollet och månskensäventyret*
Karsin: *Lilla Lena är Polis*
Klinting: *Castor bakar*
Klinting: *Castor målar*
Klinting: *Castor odlar*
Klinting: *Castor snickrar*
Klinting: *Castor syr*
Klinting: *Castors punka*
Klinting: *Frippe lagar allt*
Lindenbaum: *Britten och prins Benny*
Norlin/Anderson: *Sagan om flodhästen*
Oborne/Scheffler: *Lillgrisen och hattarna*
Scheffler: *Max och Maja. Den stora ballongen*
Tegnér/Ramel: *Bä bä vita lamm*
Tidholm: *Alla får åka med*
Ungerer: *De tre rövarna*
Ungerer: *Kriktor*

Nyfiken på mer?
Titta in på www.alfabeta.se

Första upplagan i Kalasserien, tredje tryckningen
Originalets titel: The Gruffalo
Originalförlag: Macmillan Children's Books, London
Copyright © 1999 text: Julia Donaldson
Copyright © 1999 bild: Axel Scheffler
Copyright © 1999, 2012 svenska utgåvan:
Alfabeta Bokförlag AB, Stockholm
Tryckt i Belgien 2015
ISBN 978-91-501-1497-3

Svensk text
Lennart Hellsing

# GRUFFALON

## Julia Donaldson
## Axel Scheffler

Alfabeta

En mus tog en tur i en sjumilaskog.
En räv tänkte: Godis! Dig kniper jag nog!
Vart ska du gå lilla musbruna mus?
Jag bjuder på lunch i mitt nedgrävda hus.
Förtjusande vänligt min räv – men o,
jag ska just äta lunch med en Gruffalo.

En Gruffalo?! Vad är det månntro?
Ett hiskeligt djur är en Gruffalo!

Har hiskliga betar och klor av stål

och hiskliga tänder i käftens hål!

Och var ska ni träffas?
Just här ska vi öppna vårt lunchpaket.
Tänk, helstekt räv är det bästa han vet.

Helstekt räv?! Vilken gräslighet!
Jag tror jag smiter, sa räven och smet.

En sån dum gammal räv, kan han inte förstå
att Gruffalon är nåt som jag hittat på.

Musen gick på i sin sjumilaskog.
En uggla sa: Godis! Dig kniper jag nog.
Vart ska du gå lilla snusbruna mus?
Kom och drick te i mitt trädtoppshus.
Bedårande snällt av er uggla — men o,
jag ska just dricka te med en Gruffalo.

En Gruffalo?! Vad är nu det månntro?
Ett hiskeligt djur är en Gruffalo!

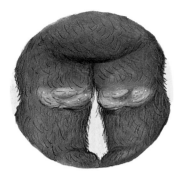

Har knöliga knän                    och knotiga tår

och giftgadd på näsan där fram han går.

Och var ska ni träffas?
Just precis här, invid bäckens vass
och det bästa han vet är uggleglass.

Uggleglass?! Huitt! Huhu!
Adjö lilla mus, då flyger jag nu.

En sån dumuggla! Kan hon inte förstå
att Gruffalon är nåt som jag hittat på.

Musen gick på i sin sjumilaskog.
En orm tänkte: Godis! Dig kniper jag nog.
Vart är du på väg lilla ljusbruna mus?
Jag bjuder på fest i mitt vedstapelhus.
Så underbart trevligt min orm — men o,
jag ska just på fest med en Gruffalo."

En Gruffalo?! Vad är nu det månntro?
Ett hiskeligt djur är en Gruffalo!

Har brinnande ögon och tunga så stygg

och giftlila taggar över sin rygg.

Var ska ni träffas?
Här, invid sjön ska vi ha vår fest
och stuvade ormar älskar han mest.

Stuvade ormar?! Jaså minsann!
Adjö lilla mus! – och ormen försvann.

En sån dumsnok! Säg hur kan den tro
att det finns något som heter Gruffal...

...O!

Vad är det för djur med klor av stål
och hiskliga tänder i käftens hål!
Med knöliga knän och knotiga tår
och giftgadd på näsan där fram han går.
Med brinnande ögon och tunga så stygg
och giftlila taggar över sin rygg?!

O hjälp! Vad ska man tro!
Där står ju faktiskt en Gruffalo!

Det bästa jag vet är musmos med ägg!
sa Gruffalon. – Gottgott smörgåspålägg.

God! sa musen. Du kallar mig GOD!
Jag sprider ju fasa och skräck och blod!
Gå du bakom mig så fattar du nog
att alla flyr mig i denna skog!

Visst, skrattar Gruffalon, gå du nu bara
jag följer efter dig – ingen fara.

Så gick de tills Gruffalon plötsligt stod still:
Jag hörde en väsning åt vedstapeln till.

Det är ormen, sa musen. Hej ormsnok! Hallå!
Och ormen såg Gruffalon – rädd blev den då.
Åh hjälp, sa den. Hu då! Adjö, lilla mus.
Och kvickt slank den in i sitt vedstapelhus.

Där ser du, sa musen, vad var det jag sa.
Fantastiskt, sa Gruffalon, det gick ju bra.

Så gick de tills Gruffalon plötsligt stod still:
Jag hörde ett hoande strax härintill!

Det är ugglan, sa musen. Hej uggla hallå!
Och ugglan såg Gruffalon – rädd blev hon då.
Åh hjälp, sa hon. Hu då! Adjö, lilla mus.
Och fort flög hon hem till sitt trädtoppshus.

Där ser du, sa musen, till flykten hon tog.
Ja faktiskt, sa Gruffalon, förbluffande nog.

Så gick de tills Gruffalon plötsligt stod still:
Jag hör någon tassa strax härintill!

Det är räven, sa musen. Hej räv! Hej hallå!
Och räven såg Gruffalon – rädd blev han då.
Åh hjälp, sa han. Hu då! Adjö, lilla mus
och slank hastigt ner i sitt nedgrävda hus.

Nu Gruffalo har du fått klart för dig
att djuren i skogen är rädda för mig.
Min mage är hungrig. Nu vill den bli mätt!
Och Gruffalogröt är min älsklingsrätt!

Gruffalogröt! Det var värst, ajajaj!
Till skogs sprang han sen – ni kan tro han blev skraj.

I skogen den tysta satt musen och log.
En nöt mellan tassarna sina han tog
– den godaste nöten i hela vår skog.